愛する子どもたち、
パールとルーカスへ

THE TRUTH PIXIE
by Matt Haig
with illustrations by Chris Mould

ほんとうのことしかいえない 真実(しんじつ)の妖精(ようせい)

マット・ヘイグ／文　クリス・モルド／絵　杉本詠美／訳

西村書店

真実の妖精

ずっと、ずーっと、はるか遠くの北のはてに、
一年じゅう雪におおわれた土地がある。
そこでくらすのは、トロルや、ゴブリンや、
エルフたち。ちょっとえらそうな、しゃべるうさぎもいる。

うさぎだって
しゃべるさ!

変わった生きものは、ほかにもいた。

たとえば、ピクシーたち。なかでも、真実の妖精。

なにしろ、どんなときでも、ぜったいに

ほんとうのことしか、いわないんだ。

ね、変わってるだろう？

これは、その真実の妖精の物語だ。

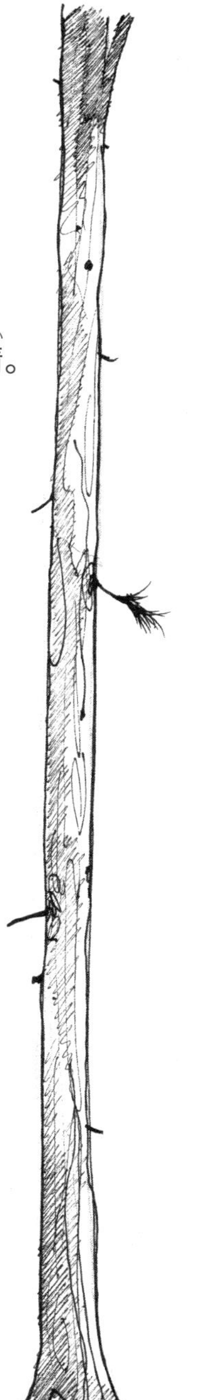

妖精（ようせい）は、落（お）ちこんでいた。

自分（じぶん）が、ほかのだれともにていないから。

19人（にん）いる女のきょうだいとも、38人（にん）いる男（おとこ）のきょうだいとも。

おにいさんのブライアンみたいに、上手（じょうず）にはおどれないし、

おねえさんのシルヴァのような、きらきらの羽（はね）も、もってない。

だれかに本を読んであげるのも、歌をうたうのも、苦手。
手品もできないし、ヒーローになって、悪とたたかう力もない。
とにかく、この妖精は、ぜんぜん妖精らしくないんだけど、
いちばんの原因は、ジュリア大おばさんだった。

まだ小さいころ、妖精は大おばさんに魔法をかけられた。

「今日からおまえは、真実だけを口にするようになーれ」

真実だけ――つまり、どんなときでもけっしてウソをつかず、

ほんとうのことしか、いえないってわけ。

それじゃ、のろいにかけられたも同じ！

それからというもの、いつでも、どこでも、
この妖精は、ほんとうのことしか、いえなくなった。

ねこが

と鳴くように、

牛が

と鳴くように、

真実の妖精の口から出るのは、
真実の言葉だけ。

正直なのは、いいことだ。

だれだって、いつだって、そういうよね。

でも、それは、真実の妖精に会ったことがないからだ。自分がなにか失敗したとき、妖精はすなおにそれをみとめる。いっぽう、きみがちょっとでも、だらしないかっこうをしていれば、

ためらわず、正直にいうだろう。

だから妖精は、小さな黄色い家で、ひとりさびしく、くらしてる。
友だちといえるのは、マールタという名の、茶色いねずみだけ。
変わりもののマールタは、妖精のかみの毛のなかに住んでいる。
ほんとうさ。ほら、かみの毛のなかにいるのが、見えるだろう？

さて、ある日。からっぽのたなを見て、妖精はいった。

「食べるものが、なんにもないわ。買いものに行かなくちゃ」

そして、ふうっと、ため息をつき、

足をくつに、つっこんだ。

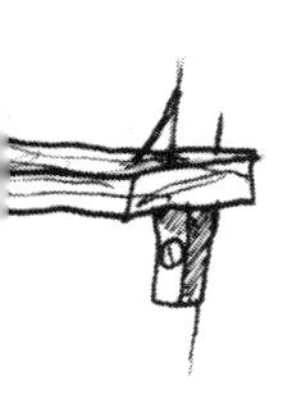

ほんとうに、さびしいくらしだった。

だけど、どうしようもない。

友だちをつくるのは、そうむずかしいことじゃないよね。
食事にさそったり、気のきいたカードを送ってあげたり、

パーティーをひらいたり、歌をうたってあげたり、
うんとやさしくしたり、いつもおしゃれにしてたり
すればいい。

真実の妖精は、それだけじゃなく、もっといろいろやった。

でも、かわいそうに、いまは家から出るのもこわいんだ。

いくらカードを送っても、歌をうたっても、だめ。

いつだって、いつだって、うまくいかなかった。

たとえば、エルフのティンキーを食事(しょくじ)によんだときは、

「あんたの口(くち)は、めちゃめちゃくさい」なんて、いっちゃった。

いもうとのアメリーのたんじょうパーティーでは、

家族(かぞく)の前(まえ)でこんな歌(うた)をうたってしまった。

家族(かぞく)ぜんいん、カンカンで、
それっきり顔(かお)を見(み)せなくなった。
エルフもピクシーたちも、たずねてこなくなり、
家(いえ)のなかは、ぽっかりあながあいたよう。

それで、妖精は決めたんだ。
ねずみのマールタとそうだんしてね。
もう、友だちはいらない、
この家でひっそりくらそうって。

「ウソとちがって、真実はひとをきずつけない。
ほんとのことを知ったからって、ショックをうけるひとなんて、
いない。そう思うでしょ、マールタ？　でも、ちがうの！
あたしだって、できることなら、ウソをつきたいわ。
ああ……外に出ても、あんた以外、だれとも会わずに
すめばいいのに」

真実の妖精は、鏡をのぞいて、

「泣かないで」と、自分にいった。

そして、さびしさにこぼれたなみだを

そっとぬぐった。

真実の妖精は家を出ると、
いそぎ足で町にむかった。
うつむいて顔をかくし、
なるべくぶあいそうに見える
ようにして。

なのに、ああ！

あれはなに？

エルフが手(て)をふっている。

にかーっと笑(わら)って、こっちを見(み)てる。

真実(しんじつ)の妖精(ようせい)は、あわててしげみにかくれ、
ねずみのマールタにも
「しずかにしてて」と、ささやいた。
だけど、やっぱりまにあわず、
エルフが、声(こえ)をかけてきた。
「やあ、こんにちは。調子(ちょうし)はどうだい？」

こんなときは、てきとうに

「まあまあよ。ありがとう！」とでもいっておけば、

相手（あいて）は、きげんよく行（い）ってしまう。

だけど、真実（しんじつ）の妖精（ようせい）には、それができない。

たとえ夜（よる）までかかっても、ほんとうのことを話（はな）すしかない。

妖精はため息をつき、目をとじて、いった。

「調子はサイアク。ウソじゃないわよ。

あんたが聞くから、しかたなくこたえるけど、

まず、うちを出るとき、足の親指をぶつけたの。

でも、そんなのたいした問題じゃない。

エルフやほかのピクシーになにか聞かれるたびに、
いいたくもない真実をいわなきゃならない。
ストレスで夜もねむれないし、おなかもいたくなる。
おまけにいま、あたしの頭の上で、ねずみがウンチしたわ」

「わかった。わかったよ」

エルフは、あとずさりした。

「もう行かなきゃ……じゃあ、またね！」

妖精(ようせい)は、手(て)をふってエルフを見(み)おくると、悲(かな)しくなった。

「聞(き)かれたから、こたえたのよ。なのに、変(へん)な目(め)で見(み)られる。

自分(じぶん)じゃどうしようもないのに。

聞(き)かれたら、真実(しんじつ)をこたえる以外(いがい)、できないのに」

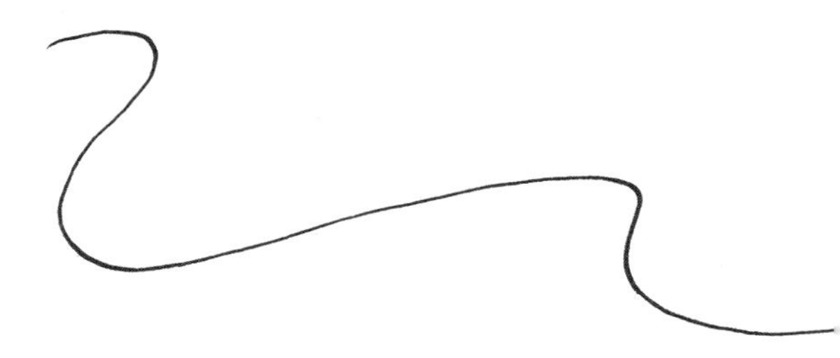

真実の妖精は、また歩きだした。
もうだれも話しかけてきませんようにと、いのりながら。
「ほんとのことをいわれても、平気なひとがいればいいのに。
でも、いないの。あたしがひとりぼっちなのが、そのしょうこ」

町はにぎわっていた。だれかに話しかけられないか不安で、
妖精は、頭がくらくらしてきた。

「このヘアスタイル、どう？」

べつのエルフが、声をかけてきた。

「ぐちゃぐちゃにこんがらがった針金みたい」

「じゃ、この服は？　いまここで買ったばかりなんだ」

「まあ、あんたの顔よりはましってとこね」

すると、エルフは、顔（かお）をまっ赤（か）にしておこった。

しばらく行くと、うさぎが１ぴき、顔を出し、
妖精のしかめつらを見て、こういった。

妖精は、「うー」とうめいて、まばたきもせず、話しだした。
「うさぎって、ほんとヘンテコな生きものねって、考えてたの。
耳はびろーんとしてるし、頭も悪そう。

うさぎなんか、買(か)いものにこなきゃいいのにって、考(かんが)えてたの。
まともに歩(ある)きもしないで、ピョンピョコとびはねてるし、

とびながら、あの黒くてまるいものを落としてくんだもの。
ああ、ごめんなさい、ついほんとのこといっちゃって……」

真実の妖精は、あわてて口をおさえ、
その場から、にげだした。
でも、走りながら、ふと目を上げると、
そこには、ばかでかい２本の足が！

あぶない！
でも、止まれない！
大足にできた
イボのひとつに、
妖精はドスンとぶつかった！

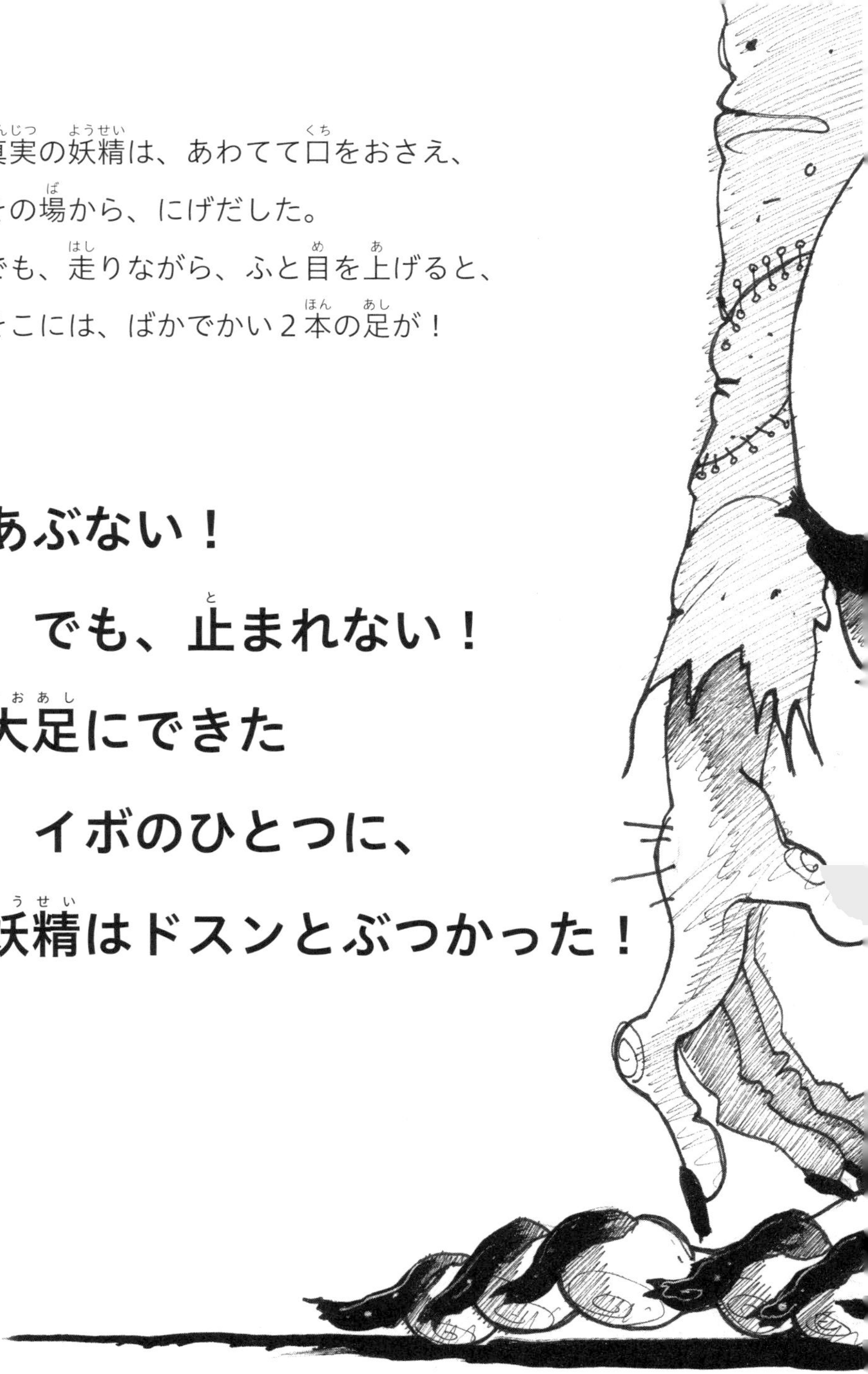

その足はとにかく巨大で、ごつごつしてて、
妖精は、体のしんまで、ふるえあがった。
「ごめんなさい！　よく前を見てなかったの！
……あら、きゅうに雪がやんだみたいね！」

10メートル
トロル
クラブ

妖精は、空を見ようと顔を上げ、ドキッとした。

雪がやんだように思えたのも、あたりまえ。

そこにいたのは、とんでもない大男——

いや、トロルだ。背の高さは10メートルくらいある。

そのトロルには、前にも
会ったことがある。
おこりっぽくて、
二度とは会いたく
なかったやつだ。

トロルは、妖精を高だかとつまみあげ、顔を見た。
物語によくある場面だ。
妖精は、こぶしのなかにとらわれて、身動きもできない。
「はなして！　家に帰らせて！　ほら、あの霧のむこうなの！」

トロルは、笑い声をとどろかせた。

「今日からは、おれさまの腹ん中が、
おまえの家だ！」

「ちょ、ちょっとまって！　あせらないで！
おいしそうに見えるかもしれないけど、あたしなんて
ほねばっかりで、うまくもなんともないわよ」

トロルは、しばらく考えこんだ。

「ふーむ。それなら、聞かせてもらおうか。
おれさまの腹におさまるかわりに、
おまえは、なにをしてくれる？」

妖精は、ごくっとつばを飲んだ。

おそろしくって、たまらない。

こんなとき、真実なんて

なんの役にも立ちやしない。

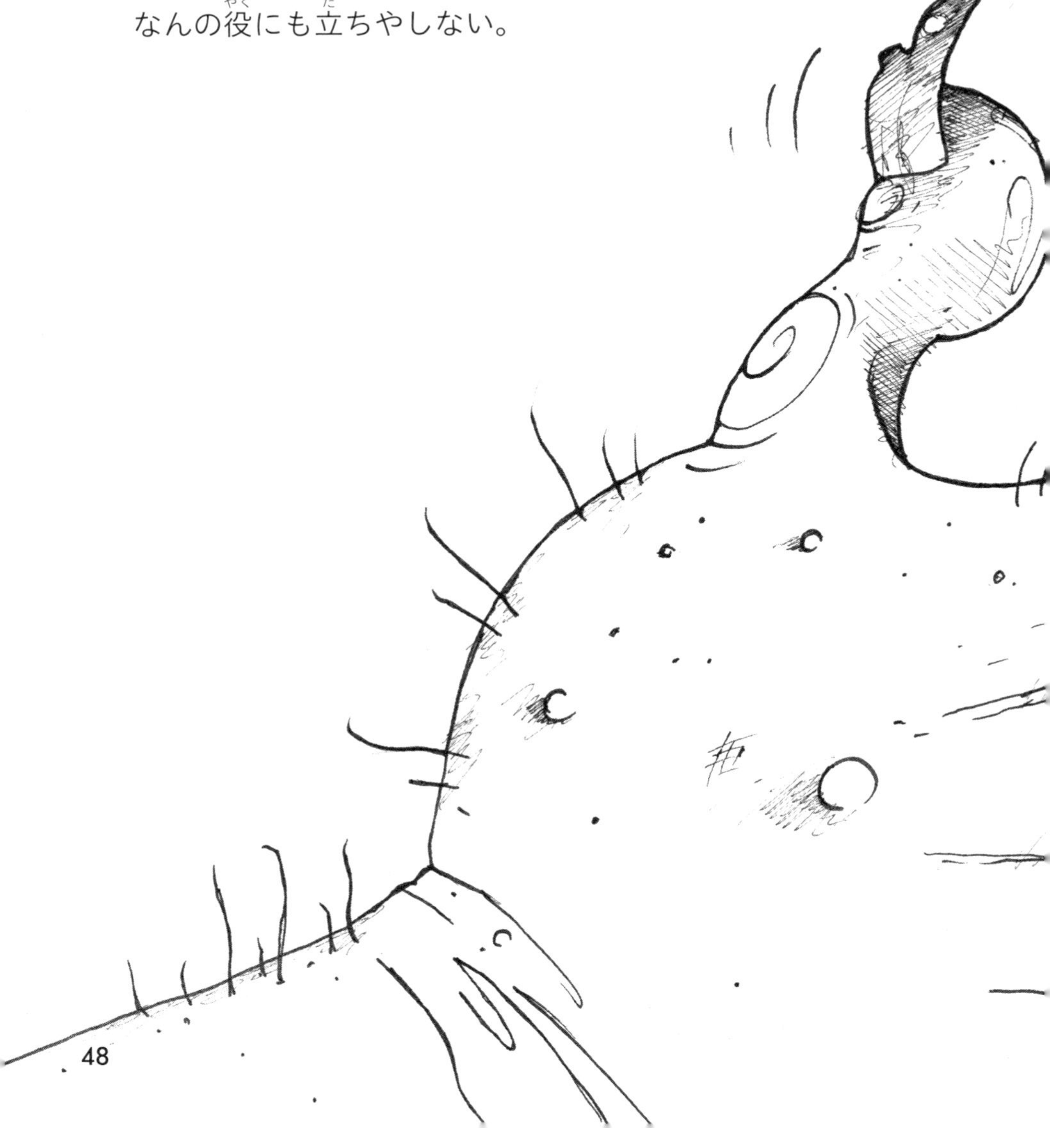

なにか考えなくちゃいけないけれど、
トロルの顔が近づいてきて、頭のなかはまっ白だ。

「たしかに、おまえじゃ、
腹(はら)のたしにもなんねえな。
ひとつ、話(はなし)でも聞(き)かせてみろ。
ただし、おもしろいやつをだぞ！
どうした？　さあ、早(はや)くしゃべれ」

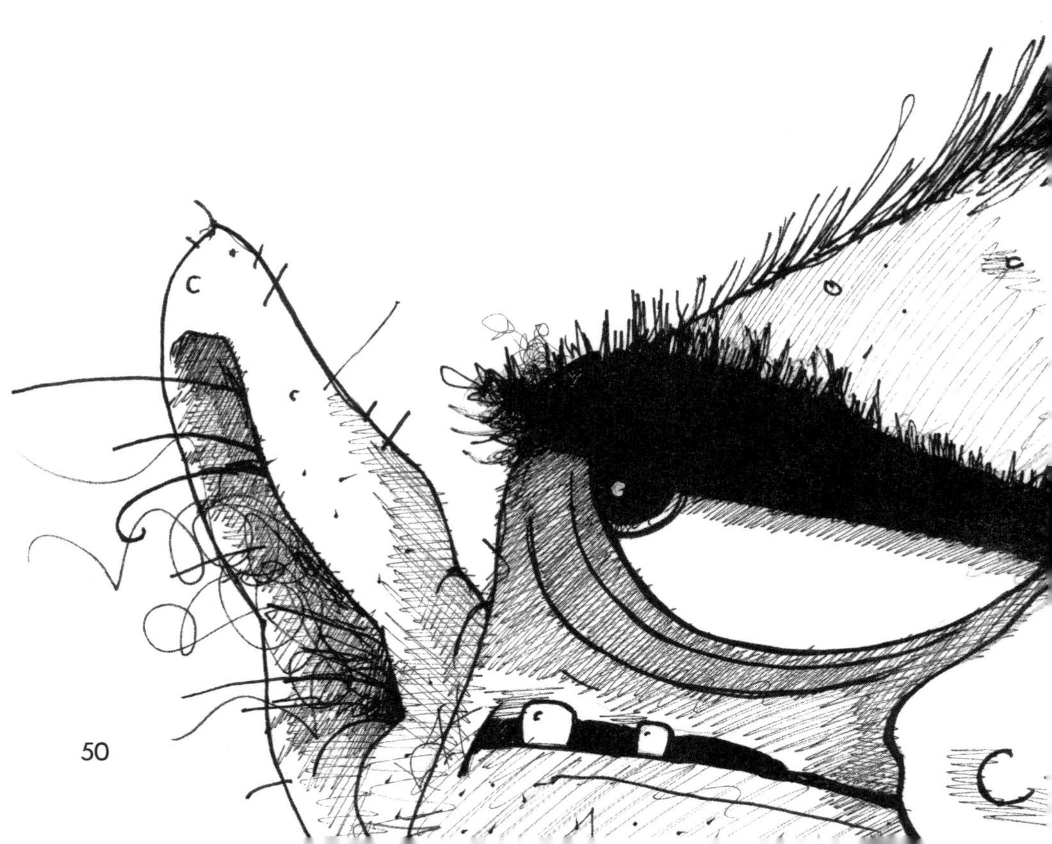

妖精(ようせい)はため息(いき)をついた。

「あたし、ほんとのことしかしゃべれないの」

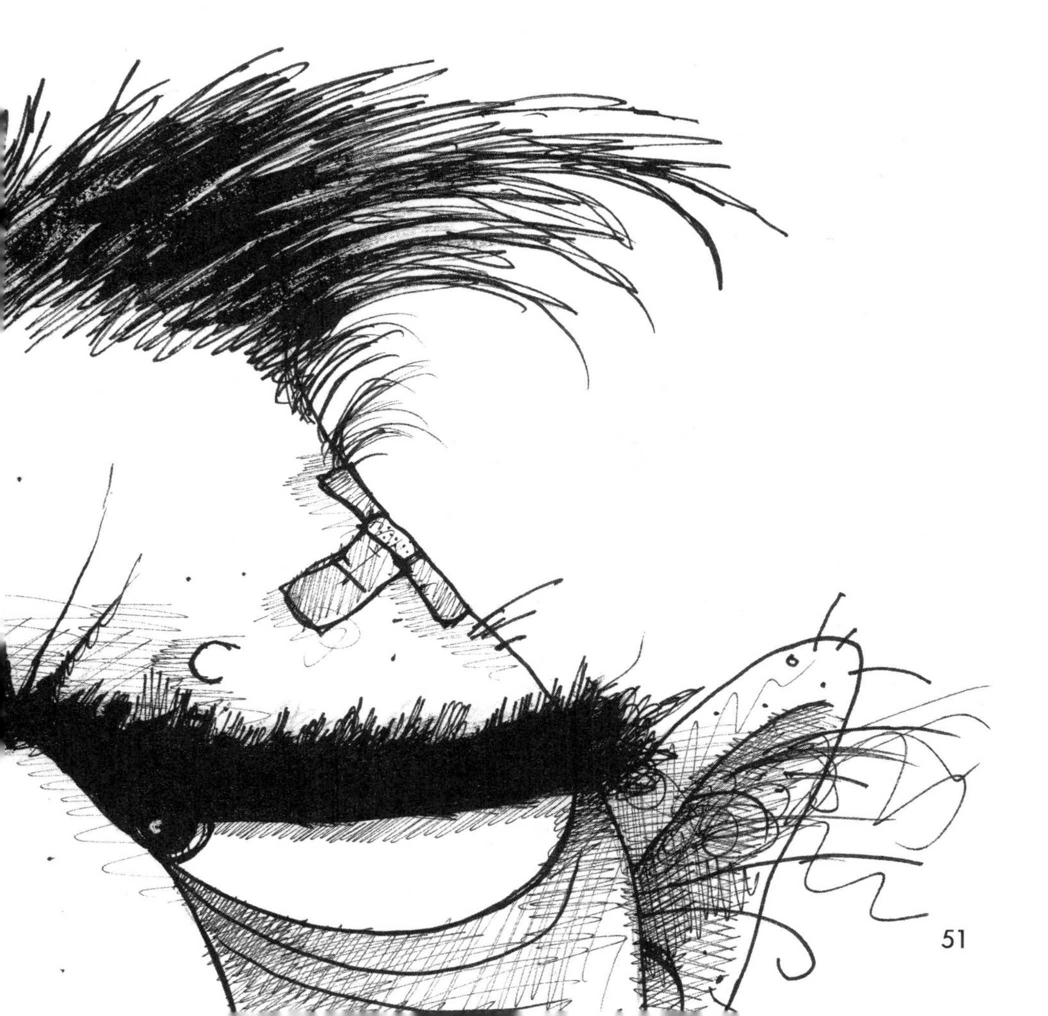

トロルは、妖精をにぎる手に、ぎゅっと力をこめた。

「そいつはいい！　ぜひ、聞かせてもらおうか！
鳥でもなんでも、生きものという生きものは、
おれさまがこわくてならねえのさ。だから、
ほんとのことなど、だれからも
聞けたためしがねえ！」

ご愛読ありがとうございます。今後の出版の資料とさせていただきますので、
お手数ですが、下記のアンケートにご協力くださいますようお願いいたします。

●書名

●この本を何でお知りになりましたか。

1．新聞広告（　　　　　　　新聞）　2．雑誌広告（雑誌名　　　　　　　）
3．書評・紹介記事（　　　　　　）　4．弊社の案内　5．書店で見て
6．ブログ・SNS など　7．その他（　　　　　　　　　　　　　　）

●この本をお読みになってのご意見・ご感想、また、今後の小社の出版物についてのご希望などをお聞かせください。

●定期的に購読されている新聞・雑誌名をお聞かせください。

新聞（　　　　　　　　　　）　雑誌（　　　　　　　　　　）

ありがとうございました

■注文書　小社刊行物のお求めは、なるべく最寄りの書店をご利用ください。小社に直接ご注文の場合は、本ハガキをご利用ください。宅配便にて代金引換えでお送りいたします。（送料実費）

お届け先の電話番号は必ずご記入ください。　自・勤 ☎

書名	冊
書名	冊

郵便はがき

料金受取人払

麹町局承認

9716

差出有効期限
令和4年7月
1日まで

1 0 2 8 7 9 0
108

（受取人）
千代田区富士見2-4-6
株式会社 西村書店
東京 出版編集部 行

お名前	ご職業
	年齢　　　　歳

ご住所 〒

お買い上げになったお店
区・市・町・村　　　書店

お買い求めの日　　令和　　年　　月　　日

ご記入いただいた個人情報は、注文品の発送、新刊等のご案内以外は使用いたしません。

「でもでも」妖精（ようせい）はつい、よけいなことを口走（くちばし）ってしまった。

「真実（しんじつ）を聞（き）いて、きずつくことだって、あるのよ」

「やい、妖精！　おれさまのうでを見ろ！

どうだ？　きずなんか、めずらしくもないだろう？

この体は、大岩のように強く、大岩のようにたくましい。

こわいなんて気持ちは、この体のどこにもありゃしねえ。

おれさまは、朝にバケモノを食べ、おやつにケダモノを食べる。
そうとも！　おれさまに、こわいものなどあるもんか！
真実にきずつくだと？　おれさまは、そんなやわじゃねえ。
おくびょうな子ねこちゃんとは、わけがちがうんだ！」

「ねこ？」

ねずみのマールタは、妖精(ようせい)のかみの毛(け)から顔(かお)を出(だ)し、
あたりをキョロキョロしたけれど、
ねこなんか、どこにもいなかった。

トロルは、くさい息(いき)をはきながら、まだしゃべってる。

真実の妖精は、なんとか口をふさごうとした。
鼻だけ出して、くちびるを上からおさえた。
だけど、“真実”には力があるし、
いつも、いきなりとびだしてくる。
“真実”のいきおいに負けて、
口から手がはなれてしまった。

「どう思うっていわれても……その……」

ああ！

ダメダメ！

言葉が勝手に
とびだしてくる！

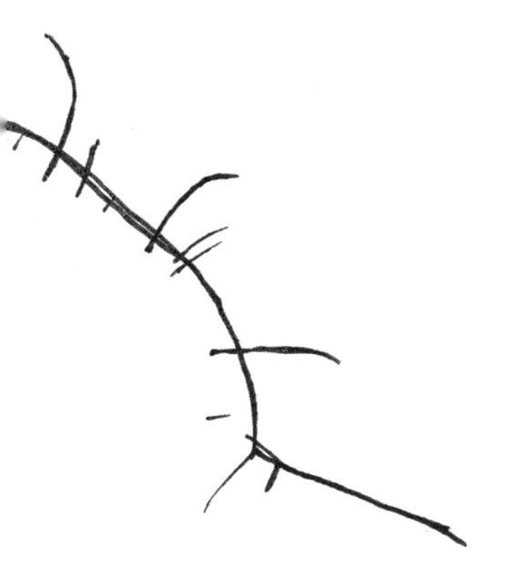

「体(からだ)じゅうイボイボ、デコボコで、

ほんと**みっともない**と思(おも)う。

おまけに、においはキョーレツ。

どっか**くさってんじゃないの？**

しかも、おばかさんよね。

せめて、かわいげがあればいいのに。

あんたが船(ふね)なら、出発前(しゅっぱつまえ)に沈没(ちんぼつ)ね。

そのくらい**ポンコツ**ってこと！

その歯(は)もひどいわ。**黄色(きいろ)どころかまっ茶色(ちゃいろ)。**

町(まち)に出(で)るときは、おねがいだから注意(ちゅうい)してね。

そのドタ足(あし)で歩(ある)いたら、地面(じめん)がぐらぐらゆれるのよ。

地震(じしん)が歩(ある)いてくるみたい。**見(み)るもおぞましい**すがたでね。

あんたは、ぜったい食べちゃいけないひとを食べる。
スウェーデンって国の小さな町をひとつ、まるごと
ぶっつぶした。ほんと、にくったらしいトロルよね。
オシッコくさくて……

ねえ、ちょっと、
もしかして
いま、あたしのこと
食べ……
ようと……
してる？」

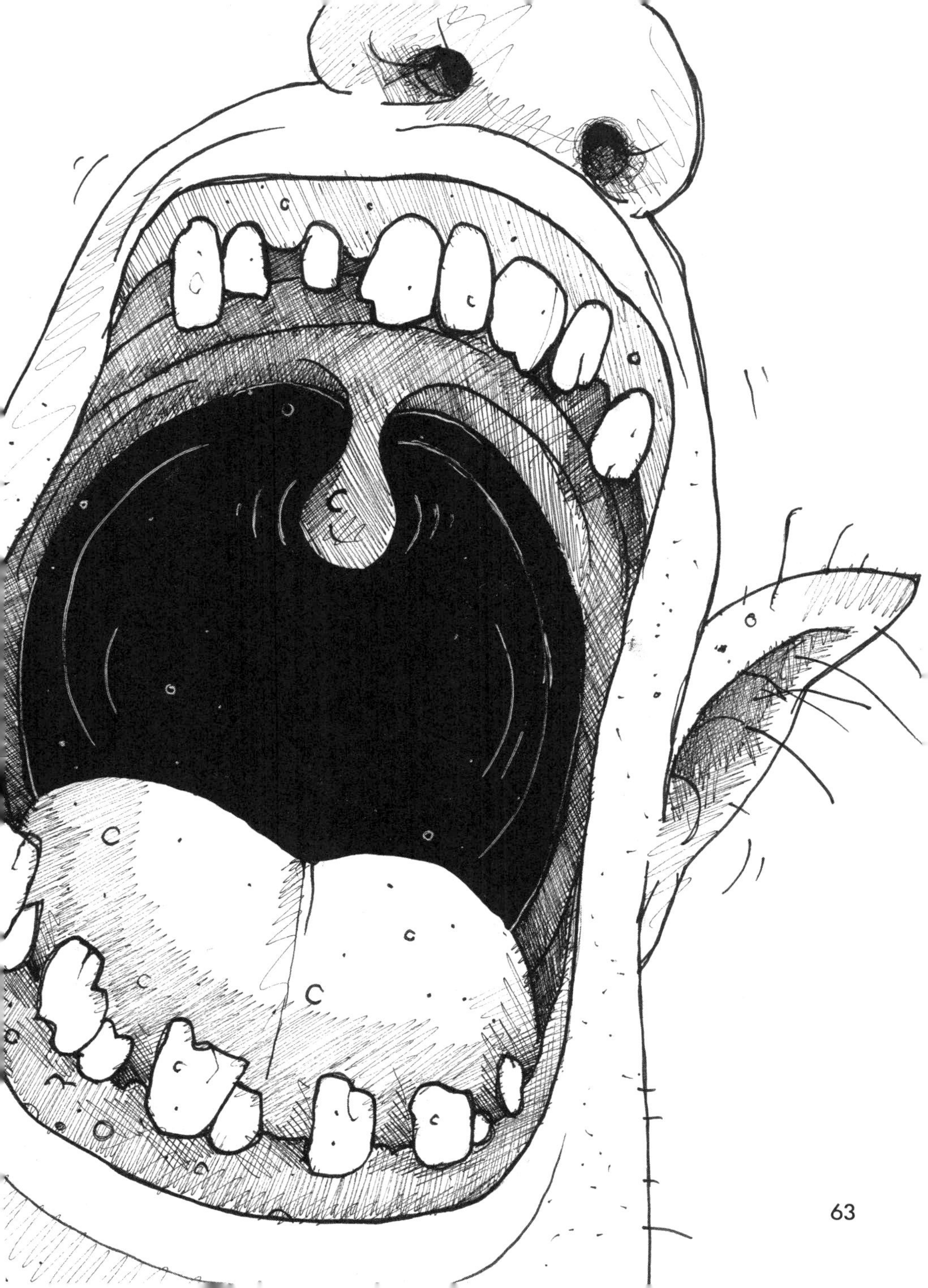

真実の妖精は
きゅっと
目を
つぶり、

ガブリと
やられるのを
まった……。

トロルは口(くち)を大(おお)きくあけ、かぶりつこうとしたけれど……

「ああ、ちくしょう！

いまいましい！

クソなまいきな妖精(ようせい)め、

思(おも)いしらせてやる！

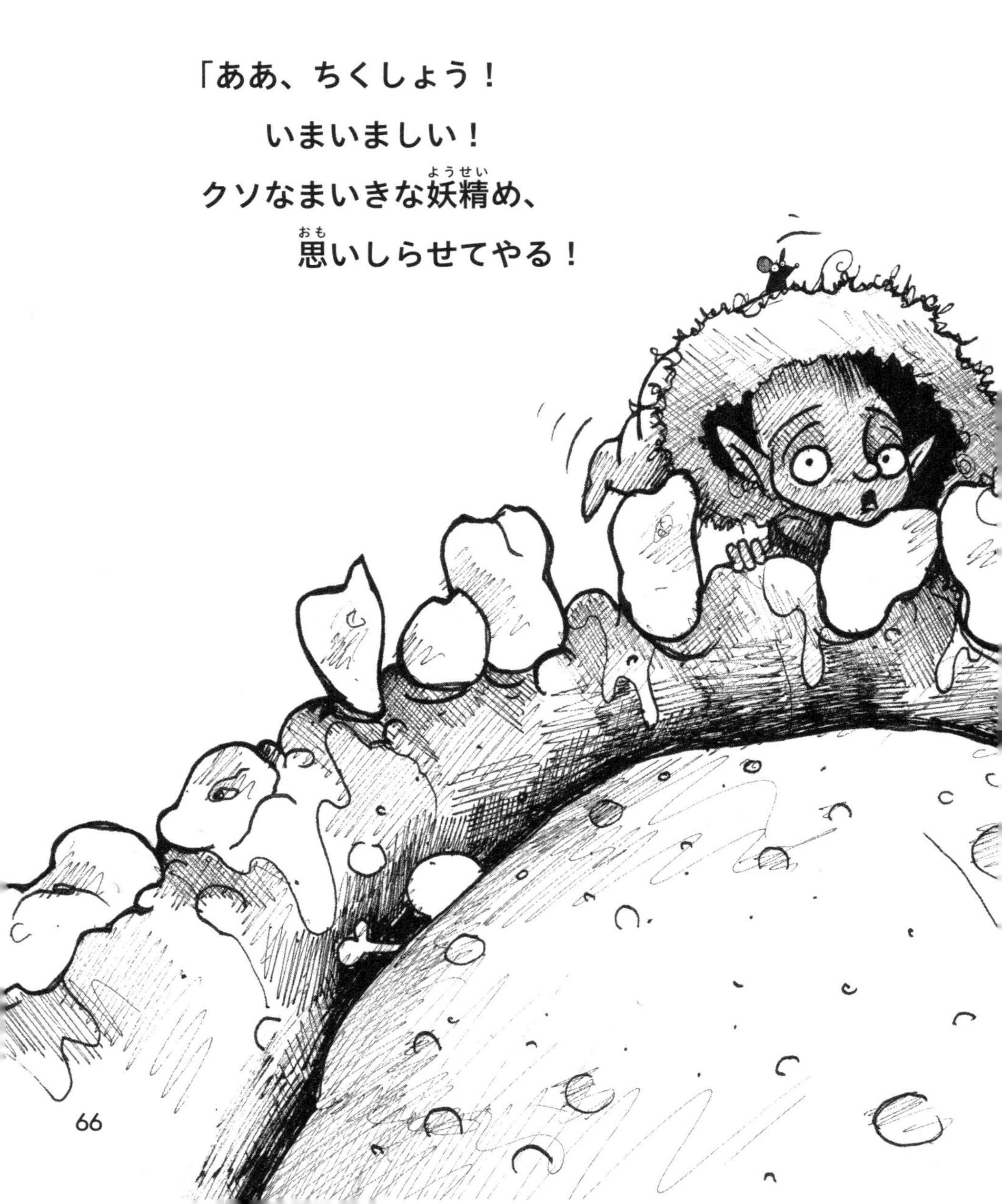

ああ、おまえを食(く)っちまいてえ！
　ひと飲(の)みにしてやりてえ！
だが、おまえはきっと、真実(しんじつ)の味(あじ)がする。
　真実(しんじつ)はうまくねえ」

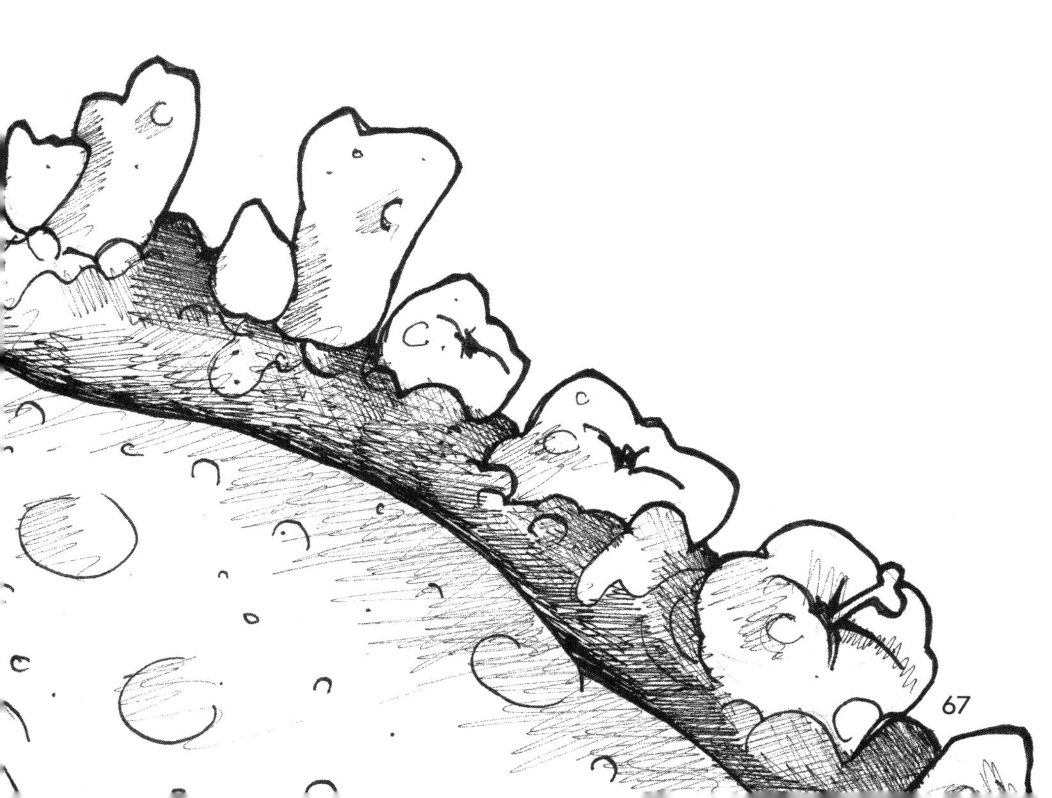

そこで、トロルは大きくふりかぶり……

真実の妖精を、力いっぱいほうりなげた！

妖精(ようせい)はとんでった。いくつも野(の)をこえ、山(やま)をこえて。
妖精(ようせい)はとんでった。りっぱなお城(しろ)や噴水(ふんすい)をこえて。

野原で草を食んでた馬が、それを見てびっくり。

「ヒャヒャ～ン！」と、ひと声いなないた。

妖精は、くるん、くるりん、くるくるくるくると
宙を舞い、マールタは、風にもみくちゃにされる
かみの毛に、しがみついた。

思ったことを正直にいったばっかりに、空にほうりなげられて、
妖精は、ヘルシンキという名の小さな町までとんでった。

そして、たまたまとびこんだのは、ある家のまど。

そこには、ひとりの女の子がいた。

部屋にはたくさんの箱。女の子は、ベッドの上で

まくらをだきしめ、泣いていた。

「あなたはだれ？」女の子が聞いた。「ここでなにしてるの？」
またやっかいなことになりそうだ。妖精はため息をついた。
「あたしは真実の妖精。どうか、あたしのことは、ほっといて。
なぜって、あたしは歌もうたえないし、お話も下手だから。
ねこがニャーと鳴くように、牛がモーと鳴くように、
真実の妖精は、真実しか口にすることができないの。

あたしの家は、ずーっと遠く。

トロルに真実を話したら、おこって、あたしをぶんなげたの。

今日はほかにも、エルフふたりとうさぎ１ぴきをおこらせたわ。

真実なんて大きらい。だけど、口から勝手にとびだすの。

こんなみじめな生きもの、ほかにいないわよね？

そばにいるだけで、みんなにきらわれるのよ」

女の子は、そっとほほえんだ。「わかるわ、その気持ち！」

そして、さびしそうに天井を見あげた。

「わたしはアーダ。アーダって名前よ。

明日か、あさってには、ここを引っこすことになってるの」

妖精は、アーダがかわいそうになった。アーダの言葉がウソじゃないとわかったから。今日が、アーダがこの部屋ですごす最後の晩かもしれないのだ。

それに、真実の妖精にはわかった。アーダには、心配ごとが山ほどある。これからのことが、不安でたまらないのだ。

「あなたが真実の妖精なら、教えて。これからどうなるの？　わたしはこの町にいられないの？　友だちといられないの？　パパは仕事をやめないといけないの？　おばあちゃんの病気は？　お医者さまの手紙に書いてあったようなことには、ならないよね？」

こうなると、だまって立ちさるわけにはいかない。真実をつげるしかない。ただし、アーダにもなっとくのいくように。

「ショックだと思うけど、ちゃんと聞いてね。

どれも、あなたののぞむようにはならない」

アーダはまっ青になり、口もきけなくなった。

おそろしくて、心がくじけそうになった。

妖精にはわかった。
自分のせいで、
アーダの悲しみが
大きくなったことが。

妖精は思った。
真実なんて、
大きらい。
ほんとのことしか
いえないなんて、
つらいだけ。

妖精には、アーダの悲しみが手にとるようにわかった。
それは、はしごのない深いあなの底にいるような気分。
妖精は、ふと考えた。言葉のはしごを、かけてあげたら？
アーダがこの悲しみからぬけだせるように。

「ねえ、アーダ。聞いてちょうだい。
真実は、ときにあなたを苦しめる。
それは、しかたのないことなの。あなたのお父さんにはお金が
ないから、ここは引っこさなきゃならないわ。
友だちともさよならすることになって、ほんとにいやだよね。

だいじなひとと永遠（えいえん）にさよならするときも
いつかは、かならずやってくる。
どんなにりっぱなお医者（いしゃ）さまにだって、
なおせない病気（びょうき）やけがはあるの。

だけど、おねがい。よく聞いて。

いろんなことが思ったようにいかないときもあるけど、

あなたはまだ若いし、これからの人生で魔法は起こる。

悲しいこともあるけど、うれしいことや楽しいことも、

きっとある。

だから、勇気を出して、前に進んで。
空が暗いほど、星がかがやいて見えるように、
いやなことのなかにかくれた、いいことを、
あなたはきっと見つける。
つらい日々が、あなたを、あなたらしくするの。

いいことがひとつも見つからない日もある。

でも、ちゃんとどこかにあるの。

かみの毛にかくれたねずみのように、ただ、見えないだけ。

なにもかもカンペキな日が、毎日毎日つづいたら、
“あたりまえ”のよさには、気づけない。
あなたの未来には、すてきなことがいっぱいある。ほんとよ。
7さいのいまが不幸でも、8さいまでまってみて。

いまの友(とも)だちみたいな、いい友(とも)だちができてるはず。

心(こころ)がこごえそうなときは、その友(とも)だちがあたためてくれる。

引(ひ)っこし先(さき)は、いまより小(ちい)さい家(いえ)かもしれない。

だけど、来年(らいねん)のいまごろはきっと、そこで楽(たの)しくくらしてる。

これからの人生、うんとすてきなことがまってるわ。
すばらしい本と出あって、むちゅうになるとか、
ねこを飼って、そのねこにおばあちゃんの名前を
つけるとか……」

ねこと聞(き)いて、マールタはびっくり。
「早(はや)くにげなきゃ！」

「これから先の人生には、いいことがいっぱいつまってる。
大海原にこぎだせば、波のおだやかな日も、あれる日もある。
だけど、行き先が焼けつくさばくでも、
こごえるような雪国でも、けっきょくは、あなたしだいなの。

いちごやバラ味のアイスを食べる日がくる。頭のてっぺんからつま先まで幸せにつつまれる日も、きっとある。ペットのねこを大好きになって、ねこもあなたにだっこされたがる。水たまりの水をはねかして、歌ったりおどったりもするわ！
クリスマスは楽しいし、イースターも楽しい。
夏にはときどき、動物園にだって行けるかも。

つまらないギャグに、いすからころげおちるほど大笑いする。
あったかいお日さまを顔にあび、風にかみをそよがせる。
ねえアーダ、どんな人生を送るかは、あなたしだい。
ぶつぶつ文句をいってすごすのか、
高らかに歌声をひびかせるのか。それを決めるのは、あなたなの。
でもね、とくべつすてきな日が、ほんとに何度もやってくる。

ああ楽しいって思える日は、たくさんある。

　いつだってね。

悲しい日々のすぐ先で、あなたをまってるの。

　ほんとよ。

たしかに、いつもニコニコしてはいられない。

だけど、いつまでもそんな日がつづくわけじゃない。

夜空は暗い。でも、星だってあるでしょ？

星が光るのを見たら、

自分のためにかがやいてくれてる気がしない？

外に出て、夜空を見あげてみて。

そしたら、わかるわ。まわりが暗ければ暗いほど、

星はいっそうかがやくってことが。

この先、すばらしいことが、たくさん、たくさんまってるわ。
ベッドのなかで見た幸せな夢が、ほんとうになる。
人生にはいろんなときがある。だけど、未来は変えられる。
家がレンガでできてるように、人生は希望でできてるの。
今夜、いまこのときは、すごく悲しくても、
これから先の人生は、そう悪いもんじゃないわ」

アーダは、妖精の言葉に、じいっと耳をかたむけた。
ひとこと、ひとことについて、しんけんに考えてみた。
妖精のいうとおりだ。
いまは暗やみのなかにいても、未来はきっと明るい。
「ありがとう、真実の妖精さん、おかげでわかったわ。
わたし、今日は泣いてるけど、ずっと泣きっぱなしじゃない。
ちょっとヘンテコな話だし、おかしなりくつだと思うけど、

悲しみを
知るからこそ幸せに
気づくのね」

真実の妖精は、ほっとした。

アーダは、マールタにおいしいチーズをくれた。

妖精は、ふうっとため息をつき、「もう行くね」といった。

すると、アーダはちょっと考えこみ、こういった。

「だって、北のはてに帰らないと。あたしの居場所は

あそこしかないんだもの」

妖精はそうこたえながらも、なにかちがうような気もした。

アーダは立ちあがり、しんけんな顔をして、いった。
「ねえ、そんなにおかしな話でもないわ。
人生は自分しだいって、あなたが教えてくれたのよ。
このまま、わたしのそばにいるってのは、どう？」

真実の妖精は、考えてみた。

じっくり、じっくり
考(かんが)えてみた。

それから、
パチパチっと
まばたきして、

それから、
もう一度
よーく考えて……

「それ、本気でいってるの？　でも、あなたのお父さんはどう思うかしら？」妖精がたずねると、アーダはいった。
「パパは、わたしが悲しそうにしてると、妖精の話をしてくれるの。だから、だいじょうぶ。わたしの友だちだもの。よろこぶと思うわ」

「ほんとに？」妖精は、ちょっと胸が軽くなった。

「でも、マールタは？　あなたがねこを飼うんだとしたら？」

すると、アーダはこたえた。

「そうねえ……そのことはまた考えましょ！　ねこじゃなくて、犬を飼ってもいいし。未来は変えられる。あなたがそういったのよ」

真実（しんじつ）の妖精（ようせい）は、
にっこり
ほほえんだ。

何百日（なんびゃくにち）ぶりかに、
とびっきりの
笑顔（えがお）になった。

ありがとう、
アーダ。
あなたのおかげよ。

ありがとう、
はじめて
真実（しんじつ）を
すてきだと
思（おも）えたわ。

アーダもほほえみ、夜空を見あげた。

真実の妖精は、自分が正直であることを、ほこらしく思った。

そのとき、アーダのお父さんが部屋に入ってきた。

そして、頭にねずみをのっけた大きな目の生きものにびっくり。

でも、お父さんがもっとびっくりし、よろこんだのは、

悲しそうだったむすめが、いまは笑っていることだった。

「ああ、妖精さん。なんとお礼をいったらいいか！
むすめは笑顔をなくしてた。だが、いまはこのとおりだ。
いやでなければ、どうか行かないでほしい。
いっしょに食事をしよう。おいしいスープがあるんだ！」

「うわあ、ありがとう！　すごく、すごく、親切なのね！
でも、このねずみもいっしょで、ほんとにかまわない？」
アーダは、声をあげて笑いだし、
アーダのお父さんも、妖精も、笑いだした。
みんな、はればれとした気持ちで。

それからずっと、真実の妖精はアーダとくらしてる。
もう真実を話すのをおそれる必要はない。
ほんとうの友だちができたんだから。

というわけで、
この物語もそろそろ——

おしまい。

バイバーイ!

文＊マット・ヘイグ（Matt Haig）
イギリスの作家。大人向けの作品に、『今日から地球人』『＃生きていく理由　うつ抜けの道を、見つけよう』（早川書房）などがある。児童書作品で、ブルー・ピーター・ブック賞、ネスレ子どもの本賞金賞を受賞。息子に「ファーザー・クリスマスはどんな子どもだったの?」とたずねられたことから『クリスマスとよばれた男の子』を執筆。続編に『クリスマスを救った女の子』『クリスマスをとりもどせ!』がある。この「クリスマスは世界を救う」シリーズ全3巻は「クリスマス・ストーリーの新定番」としてイギリスで人気をよんでいる（いずれも西村書店）。

絵＊クリス・モルド（Chris Mould）
イギリスの作家、イラストレーター。文と絵の両方を手がけた作品を多数発表するほか、『ガチャガチャゆうれい』（ほるぷ出版）など多くの子どもの本のイラストも担当し、ノッティンガム・チルドレンズ・ブック賞を受賞。「クリスマスは世界を救う」シリーズ全3巻（西村書店）のイラストも手がけている。子どものころの自分が喜びそうな本を書くのが楽しみ。

訳＊杉本詠美（すぎもと えみ）
広島県出身。広島大学文学部卒。おもな訳書に、『テンプル・グランディン　自閉症と生きる』（汐文社、第63回産経児童出版文化賞翻訳作品賞を受賞）、『シロクマが家にやってきた!』（あかね書房）、『いろいろいろんなかぞくのほん』（少年写真新聞社）、「クリスマスは世界を救う」シリーズ全3巻（西村書店）。東京都在住。

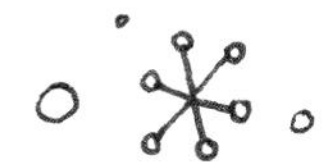

ほんとうのことしかいえない

真実(しんじつ)の妖精(ようせい)

2021年3月10日　初版第1刷発行

文＊マット・ヘイグ

絵＊クリス・モルド

訳＊杉本詠美

発行者＊西村正徳

発行所＊西村書店 東京出版編集部
〒102-0071 東京都千代田区富士見2-4-6
Tel.03-3239-7671　Fax.03-3239-7622　www.nishimurashoten.co.jp

印刷・製本＊中央精版印刷株式会社

ISBN978-4-86706-020-9　C8097　NDC933

マット・ヘイグの本

クリスマスは世界を救うシリーズ　全3巻

マット・ヘイグ／文　クリス・モルド／絵　杉本詠美／訳

映画化進行中！

真実の妖精も出てくるよ！

クリスマスとよばれた男の子

〈第１巻〉

サンタクロースはどうやって誕生したの？　ニコラスの人生を変えた大冒険が始まる。

●本体1200円　304頁

クリスマスを救った女の子

〈第２巻〉

大好きなクリスマスがこないなんて本当!?　アメリアが活躍するどきどきのクリスマス・ストーリー続編。

●本体1300円　368頁

クリスマスをとりもどせ！

〈第３巻〉

エルフの村で暮らすアメリアは、ある日、サンタをワナにはめようとする悪だくみに気づく。

●本体1300円　352頁